KB096622

그때 우리

있던 곳은

그때 우리 있던 곳은

발 행 | 2024년 6월 7일
저 자 | 박예린
표 지 | Cy
펴낸이 | 한건희
펴낸곳 | 주식회사 부크크
출판사등록 | 2014.07.15(제2014-16호)
주 소 | 서울특별시 금천구 가산디지털1로 119 SK트윈타워 A동 305호
전 화 | 1670-8316
이메일 | info@bookk.co.kr

ISBN | 979-11-410-8854-5

www.bookk.co.kr
ⓒ 박예린 2024
본 책은 저작자의 지적 재산으로서 무단 전재와 복제를 금합니다.

그때 우리 있던 곳은

박예린 지음

·차례

.

1장

풋풋한 사랑의 시작

나는 네가 좋아

나는 달이 좋아,
어두운 저녁 하늘을 채워주니까

나는 별이 좋아,
어두운 저녁 하늘을 달과 함께 채워주니까

나는 해도 좋아,
저녁 하늘을 달과 별이 채워주고 낮의 하늘은 해가 채워주니까

나는 너도 좋아
저녁 하늘같이 어두운 날 밝게 비춰주니까

물과 기름

"예를 들어 물과 기름이 있다고 하자
너도 알다시피 물과 기름을 섞으면 섞이지 않아
그게 우리 관계인 거야
물과 기름처럼 섞일 수 없어"

"그럼 내가 물이고 네가 기름이겠네?"

"왜?"

"물은 기름과 섞이지 않아
대신 물은 기름을 품고 있지
넌 나와 섞이지 않아
대신 나 혼자 널 품게 되겠지"

노을 빛깔

붉은 꽃으로 가득한 밭

물끄러미, 또 천천히 바라보다,

시선을 옆으로 돌렸을 때...

네가 있었다.

그뿐이었다.

우린 그저 그뿐이었다.

조개가 품은 진주

바다 저 깊숙한 곳에
숨겨져 있는 조개가 있어

그 조개는 겉으로 보기에
이끼가 많이 끼어 있고
어두운색에 예쁜 생김새는 아니었지

사람들은 그 조개를 잡게 되면
금방 버리기 일 수였어

근데, 그 무시당하던 조개가
세상에서 가장 아름다운 진주를 품고 있더라

난 진주를 마음에 품고 말았어
조개가 품고 있다는 걸 알면서도

나는 너를 ○○해

"너를 보면 우울하다 가도 기쁘고‥
일도 집중이 잘 안되고‥
자기 전에도 네 생각이 나‥
그래서 잠도 마음대로 이루지 못하겠어"

"음…
사랑이네"

"그래?
네가 사랑이라면 사랑이겠지"

빠져버린 마음

눈과 눈이 마주치다 못해
서로를 뚫어져라 쳐다보게 된다면
그건 이미 서로에게 빠졌다는 것,
아닐까?

그날을 기다립니다

사랑이 전부가 되는 날이 옵니다.
네가 전부가 되는 날이 옵니다.

간지러운 진심

분홍 펜으로 네 이름과 내 이름을 적고
그사이 작은 하트를 그렸다.

계절의 마침

그 끝에 네가 있기를…

나의 말

뭐라는 건지 모르겠어요.
나는 그저 사랑을 말하고 싶었을 뿐이에요.

설렘

오늘은 네가 먼저 연락하지 않을까
작은 희망에 기대한 밤
연락이 오지 않아,
실망감에 나의 밤을 물들었다.

내일은 네가 먼저 연락하진 않을까 하고,

상상만

어느 날은 이런 상상을 했습니다
내가 당신의 신부가 되는 것을요

난 당신의 아리따운 신부가 되고,
당신은 나의 멋진 신랑이 되는,
그런 상상을요

당신은 별 볼 일 없는 나의 손에 무엇보다 빛나는 반지를 끼우고,
들려오는 환호 소리에 넋이 나가고
난 우리의 부케를 가장 친한 친구에게 던져주는 걸…

상상했습니다
그저 상상했습니다

금사빠

또 마음 없이 사랑에 빠졌다.

깨달음

"사랑해"

"네가 나를?"

"아니"

"아, 내가 너를"

4월 1일

"좋아해, 사랑해"

"거짓말"

새하얀 눈 위

새하얀 눈 위에 흘리는,
불타듯 뜨거운 액체
몇 방울 떨어뜨린다
이곳이 이 붉은 색으로 바뀌지 않으니

좋아한다는 감정의 시작점

세상의 모든 이들이 너로 보였다

작은 희망

발밑의 조개 파편들이 가득한 사막,
영원히 아픔을 느끼지 못한 채 어디론가 걸어갔다.

오아시스가 있길 바랐던 사막엔
오아시스가 있었다
신기루처럼 사라졌지만,

작은 희망을 내게 안겨주곤 떠났다.

가늠할 수 없다

네 매서운 눈빛이,
언제쯤 달콤한 눈빛으로 바뀔 수 있을지
가늠할 수 없다.

짝사랑

네 이름이랑 비슷한 발음이 들려오면
네 생각이 나고,

네 이름이랑 비슷하게 쓰인 단어가 보이면
또 네 생각이나

우리의 인연이 닿기를

2장

그래 우리 가장 빛나던 때

청량한 어느 날

이 청량함 속에
너와 두 손 고이 잡고 잠들었다.

내가 탐낸 것

태양의 열기가 널 탐냈고,
싱그러운 나무들이 널 탐냈고,
별 볼 일 없는 내가 널 탐냈다.

이 영원씨

너와의 결말이,
희극이든,
비극이든
상관없을 것 같아

그저 지금, 이 순간이 영원하길

파도가 말하길,

네가 좋아

작은 화관의 작은 꿈

너는 꽃들을 엮어 화관을 만들었다
만든 화관을 자랑하며 내 머리 위에 씌워주었고,
난 웃으며 화관을 만지작거렸다

나도 가만히 있을 수 없어,
꽃을 엮어 어설프지만, 정성이 담긴 반지를 만들었다
만든 반지를 자랑하며 네 손가락에 끼워 주었고,
넌 웃으며 반지를 만지작거렸다

사랑 이루어지다

"내가 좋아"

"나도,
나도 네가 좋아"

너 자꾸 그럴래?

"익숙하면 함부로 해도 돼?"

"아니 안되지"

"알면 잘해"

Q. 사랑의 결실은 무엇인가요?

A. "_____ "

제목 없음·· 이유도 없음··

이유 없이 사랑하면,
이유가 없는 걸까?

안심하고 싶다

너를 좋아해 줄 나도,
나를 좋아해 줄 너도,
그저 우리 행복하길

파란 날개의 나비

세상에서 가장 아름다운
파란 날개를 가진 나비가

하늘로 높게 높게 날다
불에 타 추락한다.

만약은

'만약'이라는 두 글자는
신이 내려준 마지막 선의일 거야.

3장
사랑이 끝났다고 합니다

첫사랑의 끝맺음

다들 한 번씩은 가져봤다는 첫사랑
물론 나라고 없었던 건 아니다
있었다
있기만 했다
내 첫사랑도 여느 이야기처럼 이루지 지지 않았다
아니, 이루어질 수 없었다

내가 어둠이면 그 아이는 빛,

내가 흐림이면 그 아이는 맑음,

내가 이별이면 그 아이는 사랑이었으니까
이루어질 수 없었다
애초에 넘봐선 안 될 사람을 넘봤던 거다
아무리 첫사랑이라 해도
이루어지지 않는다 해도

첫사랑의 끝은 씁쓸하기만 하다

눈치 0%

우리 막 어릴 때
내가 좋아하는 얘가 있다고 했던 거 기억나?

그때 네가 내 말 듣고 놀라서
좋아하는 애랑 이어주겠다고 했었는데

그러면서 추리도 했었고
넌 맞추지도 못했으면서
맞췄다고 마음대로 좋아했었지

이제 와서 얘기하는데
내가 좋아했던 건,
걔가 아니고 너였어

다른 애들은 다 알고 있었어
그래서 너랑 나랑 이어주려고도 했었고

참 바보 같이 너만 몰랐어

외사랑

사랑이 변하나요
그리 쉽게 잊히는 것이었나요
난 잊는 것조차 두려워 못하는데,

아무래도 그대는 아니었나 봅니다
사랑은 단순한 장난이었나 봅니다

금붕어의 습성

금붕어는 좁은 어항에 살아요
좁은 어항에서 어떻게 든 살아보려는 금붕어가 한심해 보였어요
분명 그렇게 생각했는데,

지금 제 꼴을 보면 금붕어보다 못한 것 같네요
좁디좁은 당신의 마음속에서 살아가고 있어요
어쩌면 어항보다 좁은 곳에서요

그치만이 이곳에서 나가고 싶지 않아요
오히려 더 머물고 싶어요
당신의 마음이 이리 좁아도,
그저 당신의 마음에 머물고 싶습니다

그 아이 이야기

그 아이는 남들과 다르게 특이한 감성들을 좋아했어
물론 그 감성을 싫어하진 않아,
하지만 그땐 이해하지 못했던 것 같아
아니, 이해하지 않았던 것 같기도 해

만약, 지금이라도 이해한다면
그 아이가 돌아올까?

그렇다면 몇 번이고 이해할 거야
나도 그 아이가 좋아하던 모든 것을 좋아할 거야
그러니 제발 돌아와 줘

·

38°

어느 겨울날, 차가워진 몸을 녹이려
전기장판을 켰다 .
온도가 38°까지 올라가
어느 순간 후끈 달아올랐다.

그리고 언제였던 가
내가 널 처음 봤던 그 순간도
이렇게 달아올랐던 적이 있었다.

사랑

사랑이라는 과목을 수강했습니다
처음엔 눈길도 가지 않던 과목이었는데
시간이 지나면 지날수록 호기심이라는 게 생기더군요
그래서 수강했습니다
사랑이 뭔지 궁금해서요
근데 이해할 수 없는 내용뿐이더라구요
그래서 도중에 포기해 버렸습니다

이젠 더 이상 사랑이 뭔지 모르겠습니다
배우려 해도 배워지지 않아요
그러다 깨달았습니다
사랑은 배우는 게 아니라는 걸요
겉으로 보이는 사랑은 매우 어렵고 딱딱했어요
다가가는 것조차 버겁게 느껴졌죠.
근데 직접 경험을 하면 다르더라구요

사랑은 매우 단순했어요
그저 내가 상대방에게 조금의 호감만 있다면
얼마든지 사랑으로 번질 수 있는 '감정'이었습니다
감정을 배우려 했다는 게 얼마나 바보 같은 짓 인가요

근데 안타깝게도 이런 간단한 사랑을 독학해 버렸습니다
전 사랑을 했지만, 상대방은 아직도 모르더라구요
사랑을

나는 있었습니다

보기만 해도 웃음이 나고
같이 있으면 세상을 다 가진 것 같은 사람,
그런 사람이 당신에겐 있었나요?

사계절

봄은 사랑의 계절
여름은 청춘의 계절
가을은 감성의 계절
겨울은 이별의 계절

잔혹동화

공주와 왕자는 결국 엔딩을 맞이하고, 그 뒤
몰래 공주를 사랑하던 이는 눈을 감았다.

고백

좋아해,

라고 말하고 싶었어

4장

그리움에 그리던 너와 나

토마토와 수프

매일 저녁 늦게 퇴근했는데,
오늘은 일찍 끝났어
그래서 집에 가다가,
하늘을 봤다?

근데 노을빛이 뻘건게 꼭 토마토를 빼닮은 것 같았어

아, 그거 보니까 네가 해주던 토마토수프가 생각나더라
다시 한번만 더 먹고 싶다

이 별의 성숙함

어른들이 그랬어
좋아하면서 사랑을 배우고,
사랑하면서 이별을 배우고,
이별하면서 성숙함을 배우는 거라고.
그렇게 어른이 되어가는 거라고

그러니까
우리는 이별의 성숙함을 배우기 위해,
그렇게 어른이 되기 위해 잠깐 이별하는 거야

그래, 그런 거야

純愛와 殉愛의 차이

순애 (純愛)
순수하고 깨끗한 사랑.

순애 (殉愛)
사랑을 위하여 모든 것을 바침.

나는 너와 순수하고 깨끗한 사랑을 했기 때문에,
사랑을 위해 모든 것을 바쳤다.

미술 시간

자유 그림을 그리래서
형편없는 실력으로,
너를 그렸다

단지 보고 싶어서

오늘은,

벌써 봄비가 내려,
분명히 여긴 네가 없는데 말이야

이 봄비가 끝날 때까지 만이라도
내 곁에 있어 주지

"너무 춥네"

만신창이

내 사랑이 엉망진창이었다고 해도,
그 사랑 안에 네가 있어서
그렇게 엉망진창은 아니었던 것 같아

넌 어때?

외진 골목길

너와 주로 다니던 외진 골목길
늘 빨리 가고 싶어 했던 넌 지름길이라며 날 끌고 다녔지
정말 그 말 대로 빨리 도착해서
그 골목길이 미웠던 적도 있었는데

지금은 골목길로 안 다녀
다니다 보면
그때의 우리가 그 골목길에서
나눴던 모든 말들, 행동들이 생각나서
그래서 다닐 수 없어

재회

당신을 다시 만나게 될 그날을 기다리고 있어요
그걸 재회라고 하죠?
그래요, 재회

난 당신과의 재회를 기다리고 있어요
그러니 부디 늦지 않게 나타나 주세요

너의 바다

난 사진 찍는 걸 좋아했다
넌 내가 찍는 사진들을 좋아해 줬고
비록 우린 둘이었지만,
싫은 거 하나 없이 이곳저곳 사진을 찍었고
그 사진에 추억도 함께 찍어냈다
그런 우리는 함께 갔던 바다를 마지막으로
더 이상 함께 하지 않았다

나의 사진첩엔 아직 너와 찍었던 풍경,
너의 사진들로 가득했다

바다 위, 수평선 끝까지 펼쳐져 있는 윤슬이 널 많이 닮은 것 같다
반짝반짝 빛나는 게 네가 웃는 모습이랑 닮아 보여서였을까

그래서 난 너의 바다가 되어주고 싶었다
네가 더 반짝일 수 있도록

절망 희망 소망

절: 절대로 망쳐선 안 될 사랑을
망: 망쳤어, 내가

희: 희망을 바라지 마세요
망: 망가져 버린 나에게

소: 소원을 빌었어
망: 망상이어도 좋으니 돌아와 달라고

그 미소

다시 돌아오지 않을 그날의 나는 미소 지었다.

안녕 돌아와 줘

안녕이라 말하면 돌아와 줄래?
안녕이라 말하며 돌아와 줄래?

술 한잔

오늘의 술 한잔으로 널 잊겠어
오늘의 술 한잔으로 널 잊겠어
오늘의 술 한잔으로 널 잊겠어
오늘의 술 한잔으로 널 잊겠어
오늘의 술 한잔으로 널 잊겠어

추운 겨울 바다

그 애를 처음 만난 건
추운 겨울 바다였어

오들오들 떨리는 가는 손으로
뭐가 예쁘다는 건지 바다를 찍고 있는
네 모습이 인상 깊었어
아마 한눈에 반했다는 게 이런 느낌이었겠지

두 번째도 우리는 추운 겨울 바다였어
보니까 네가 꽁꽁 언 바다를 좋아하더라고

세 번째가 되던 날엔
내가 먼저 말을 걸었어

별 보잘것없는 나라도 환히 웃어주는 네가 좋았어

네 번째는 없었어
세 번째 만남이 마지막이었거든

아마 우린 '운명'이 아니라 '우연'이였나 봐

그만하자는 말

눈물에 흐느끼는 목소리가 들렸습니다.
작디작은 소리에 정확히 들을 수 없었어요
그리고 다시 한번 들렸습니다.

눈물에 흐느껴 나오지 않는 목으로 말하는 그대의 말이
그만하자는 말이었습니다.
이제 끝이 나버렸습니다.
안타깝게도 여기까지인가 봅니다.

나비효과

그 있잖아
나비의 작은 날갯짓이 큰 파장을 불러일으킨다는 말

그럼,
내가 여기서 더 그리워하면
더 큰 파장이 일어나려나?

너의 이야기

말없이 다가온 행복은,
영원을 약속하듯 속삭이다,
그리 떠났습니다.

오늘 할 일

[v] 검은색 옷 세탁 돌리기
[v] 아침 챙겨 먹기
[v] 빨래 개기
[v] 친구들과 술자리
[v] 노래방 가지 않기
[ ] 그 애 잊기

Butter플라이

다음엔 나비가 되어,
너에게 날아갈게
그땐 받아줘.

꿈

너를 만나 평소처럼
네가 좋아하는 식당에 가 밥을 먹고
네가 가자던 카페를 갔다
카페에선 다음엔 어디로 갈지 기대에 차 있었고,

눈을 감았다 뜨니,
아, 역시 꿈이었다.

기대 또 실망

그대가 돌아올 것을,
다시 돌아와 내 품에 안길 것을,
오늘도 기다립니다.
그리움에 이기지 못해 다시 또 기대해 봅니다.

추문

분명 너를 미워하기로 마음먹었는데,
들리는 너의 추문에 화를 내고 말았다.

환상

비 온 뒤 길거리의 일렁이는 물이 고여 있다.
고여 있는 물을 쳐다보면
등 뒤의 네가 보이던 때가 있었다.

지금 필요한 것

감성 하나
그리움 하나
인공눈물 하나
휴지한 각
너 한 명

천사와 악마의

행복하게 했고,
내일을 기대하게 한
착한 아이, 천사 같은 아이

한순간에 나를 나락으로 떨어트린,
내일의 나를 불행하게 한
못된 아이, 악마 같은 아이

돌아가고 싶은 그 시간

헤어지고 가장 그리웠던 순간이 있었다면,
네 품에서 하루를 보냈던 거,
그리고 네 품에서 하루를 마쳤던 거
그게 제일 그립더라

파도

너는 파도처럼 밀려와
내 마음을 훔치고 쓸려 내려갔다.

현실인지, 꿈인지

이젠 그만 내 꿈에서 나가.

돌아오지 않는

한없이 행복했던 여름이었습니다.

이 기적

너와 내가 사랑을 나눴던 걸 기적이라고 한다면,
그래 기적이었던 것 같다
넌 나의 기적이었어

보고 싶다 나의 기적.

기약 없는 약속

비록 지금은 날 떠났지만
약속해 줘

나중에,
때가 되면,
그때 다시 나에게 와 주기로

그 누구도 아닌
나에게 와 주기로

종이학 백 마리의 사랑

그리움에 종이학을 접어요

우리의 눈과 눈이 마주쳤던 순간을 생각하며,
한 마리
네가 풍기던 향수의 향을 생각하며,
한 마리
널 만날 생각에 긴장해 늘 목이 타던 순간을 생각하며,
한 마리

그저 그리운 우리의 순간들을 생각하며 종이학을 접었어요
근데 벌써 99마리의 종이학을 접었네요

이별의 고하던 네 눈물을 생각하며,
마지막 한 마리를

추운 겨울나기

곧 다가오는 추운 겨울에
우리 꼭 다시 시린 손을 붙잡고
추운 겨울을 이겨 내자

옛 우리가 그랬던 것처럼,
그저 잠시의 공백기였던 것처럼,
아무것도 바뀌지 않았던 것처럼,

우리 서로의 온기를 마주 잡은 두 손으로 나누자

화장실

욕조에 틀어둔 샤워기 물이 흘러넘쳐서
나를 덮쳤다?
이번엔 세면대에 틀어둔 물이 흘러넘쳐서
또 나를 덮쳤어.

근데 생각해 보니까
흘러넘친 건 물이 아니었어
너를 그리워하는
내가 넘친 거였어

그 시절 되새김

우리가 함께 찍은 지난 사진을 보며
그 시절의 나를
그 시절의 너를
되새김하고 있어

참 이때가 좋았는데
돌아갈 수 있으면
돌아갔을 거야

그 시절로

너의 봄, 나의 봄

나는 또다시 찾아올 봄을 기다립니다.

모든 게 처음인 사람

너는 나의 첫사랑이었고,
너는 나의 첫 이별이었다

그래서 이별이 힘겨웠던 것일까
너였기에, 그리도 힘겨웠던 걸일까

넌 여전히 맑음

너의 이름은 맑음이었어

너의 맑음이 고파
너의 맑은 미소가 고파
널 찾았던 거야

미안해요

네가 없는 나의 세상은
네 존재조차 기억하지 못하듯
너무나 평온했습니다

네가 없어졌어도 세상은 변함없었고,
난 그런 세상을 원망했었어요
하지만 결국 나도 당신을 잊으려 하고 있어요
네 존재는 나에게 있어 세상이었지만,
나의 세상은 이제 존재하지 않으니까요

오늘도 원망하고 그리워하며 살아갑니다

과거 회상

돌아가고 싶은 그 시절에게
살며시 인사를 건넸습니다.

당신은

널 슬픈 게 했다는 죄책감은,
죽는 그 순간까지 쫓아와 날 괴롭혔어요
너도 이렇게 괴로웠나요?

사람

사랑,
이 두 글자에 맺혀
이 두 손은 나의 목을 조릅니다.

5장

그리움을 넘어서 후회 그 이상

완성된 퍼즐, 마지막 조각

넌 퍼즐 조각이야
찾으려면 안보이고
안 찾으면 너무 잘 보여서 짜증이 나 버려

그런데 그런 네가
마지막 퍼즐 조각일 줄은 몰랐어
완성하려면 네가 있어야 하는데
네가 안 보여
찾고 찾아도 네가 안 보여
역시 퍼즐은 완성 못 할 것 같다

미안, 완성하면 보여 주고 싶었는데

시간은 우릴 속이지 않아

작은 상자에 지난 추억이 될 만한 걸 담았어
처음에 작아도 다 들어갈 거라 생각했어
싫은 기억이 더 많았으니까
근데 담다 보니 공간이 부족한 거야
우리의 추억이 이렇게 많았었나?

우리의 생각보다 함께한 추억은 거짓말을 하지 않는 것 같아

그저 용서를,

너는 나아가는데,
나는 왜 멈춰 있을까?

더 멀어졌다가 두 번 다시 잡지 못하는 걸 알고 있는데,
그걸 알고 있지만, 발이 안 떨어져

미안해
난 못 잡겠다

愛悅과 哀咽의 차이

애열 (愛悅)
사랑하고 기뻐함.

애열 (哀咽)
슬퍼서 목이 멤. 또 그렇게 욺.

너는 내 덕분에 애열 (愛悅) 했고,
나는 너 때문에 애열 (哀咽) 했다.

홍시와 곶감

네가 유독 곶감을 좋아했었지
난 홍시를 더 좋아했고,
전엔 이런 사소한 거에도 싸우고 했었는데

근데 지금 먹어 본 건데
네 말 대로 곶감이 더 맛있는 것 같아.

This Silly Love

어리숙한 건 내가 아닌
우리의 사랑이었다

수많은 선택지

많은 선택지 중
우린,
이별이라는 선택지를 골랐다

어둠 속 행복

희미한 기억 속에서
실을 잡고 걷다 보니,
너와 함께했던 기억이 숨겨져 있었다.
발견해선 안 될 행복한 기억이었다.

후회해 미안해

미루고 미뤘던 말,
좋아해

청춘이란 이름으로 동경했다

원래는 사랑이었는데.

돌아가고 싶다

다시 한번 더 그 아이의 마음에 살고 싶다.

요즘 일상

아침에 일어나
종일 네 사진을 붙들고 잠들었다

이유라면,

단지 널 보고 싶다는 이유만으로도,
내가 살아갈 이유는 충분했다.

변하지 마 제발

계절이 변하듯
우리도 변했다.

희망 사항

이 넓은 세상에,
너와 나만 남게 되면
우리는 무엇을 할까

사랑? 애정?
뭐라도 나눴으면 좋겠다.

늦은 후회

되돌리기엔 늦은 걸 알아요
후회라도 해야죠
어차피 희망도 없는걸요

이렇게라도 당신을 기억해야죠

이기적

미련이야, 미련.
아주 이기적인 미련.

사죄

한순간의 쾌락을 위해,
평생을 후회해야 했습니다

악마가 되어

널 울게 만든 날,
널 슬프게 만든 날,
부디 용서하지 마세요.

난 나빠서
너와는 어울릴 수 없어요.

용서만

나는 용기 내어 달님께 용서를 구했어요
달님뿐만 아니라 별님에게도
별님뿐만 아니라 햇님에게도
나는 용서를 구했어요

용서를 구하면,
그나마 있는 죄책감을 덜 것 같았어요
근데 아니었네요

게임 오버

너와 나의 사랑이 게임이었다면 좋았을 텐데

사랑이 끝나,
게임 오버가 되어도

클리어할 때까지 몇 번이고, 몇십 번이고
도전할 테니까.

몇 번, 몇십 번, 몇백 번

네 이름을
몇 번, 몇십 번, 몇백 번

불러도 돌아오지 않을 걸 아니까
그게 무섭고 슬픈데,
그래도 계속해서 부르고 있어.
보고 싶어서 그래서 부르고 또 부르고 있어.

도돌이표

너랑 헤어지고 나니
처음으로 돌아간 기분이야.

다시 짝사랑부터 시작하는 걸 보면
정말 처음으로 돌아간 게 맞는 것 같아.

처음이랑 똑같아.

멀디먼 하늘, 또 별

저녁 하늘의 별들이 반짝였다
그중 눈에 띄게 빛나는 별이 하나,

잡고 싶어 손을 뻗으니
너무 멀어서 잡을 수 없었다.

나 좀 봐줘

창틀을 붙잡고 크게 소리쳤어

보고 싶다고
한 번만 더 보고 싶다고
근데 볼 수 없다고
그렇게 가까이 있었는데
왜 한번을 안 봤냐고

결국 내가 나한테 화나서 화풀이한 게 돼버렸지.

봄은 시작의 계절

다시 시작하는 그날은 봄이었으면 좋겠어

흩날리는 벚꽃잎을 잡으려 움직이는 네가,
그 모습을 바라보며 웃다 사진을 찍는 내가
그 봄에 있어서일까

6장

이젠 인정하게 되는 이별의 시작

해파리의 형태

나무들의 그림자가 해파리의 형태를 만들 때쯤,
아마 그쯤 우리가 사랑을 나누고 있었지

그리고 그다음 해,
또다시 해파리의 형태가 보일 때쯤,
아마 그쯤 우리의 사랑이 끝나 있었지

눈물을 거두어

아침에 눈을 뜨면 그 사람은 네게 인사할 거야
잘 잤냐고, 또 무슨 꿈을 꾸었냐고

저녁에 잠이 드는 순간엔 또다시 네게 인사할 거야
잘 자라고, 부디 오늘은 좋은 꿈을 꾸라고

이젠 잊혀지는 그 목소리로
너의 옆에서
혹은 그보다 더 가까운 곳에서

얼마든지 부르고 또 부르고 있을 거야
네가 마주하는 모든 순간마다

꼭 너를 응원하고 있을 거야
꼭 네가 힘들어하지 않기를 바라고 있을 거야

지금 이 순간에도,
네가 힘들어하는 모습을
너의 가장 가까운 곳에서 바라보고 있을 테니까

이젠 과거에서 만남

좋아했어, 사랑했어
근데 아쉽게도
우린 다 과거형이네

우선

나의 최우선이 너였던 것처럼
너의 최우선도 나였을 거라고 생각했다.

하지만 그저 착각이었다.
너에게 미쳐, 내가 원하는 것을 너에게
입혔던 것이었다.

너의 최우선은 단 한 번도 나였던 적이 없었다.

긴 밤

오늘은 유난히 밤이 긴 것 같아
네가 없는 밤은 이렇게나 길다는 걸 이제 깨달았어
조금은, 아니 조금 많이 외롭다

넌 외롭지 않아야 할 텐데,

악보 음악

음표를 사람 삼아,
오선 줄을 기타 삼아
우린 악보 위에서 춤을 췄어.

그 누구의 간섭도 받지 않았고
그 누구도 방해할 수 없었어
그 순간만큼은

잊을 수 없는 황홀한 기억이었지.

안구적출

보면 안 될 걸 봐 버렸다
눈알 뽑아서 세척 마렵네;;

물음표

나의 사랑이 부정당할 만한 사랑이었던 갈까?

마지막 양심

네가 남아있던 자리에,
마지막 꽃 한 송이를 보낼게

부디 그대 내 꽃을 받아 주길.

마지막 양심

네가 남아있던 자리에,
마지막 꽃 한 송이를 보낼게

부디 그대 내 꽃을 받아 주길.

사랑이 추락하는 여름밤

사랑이 추락하는 여름밤

행복했던 추억, 순간, 너

나와의 순간이 조금이라도 행복했다면,
난 그걸로 됐어

나도 너와의 순간이 제일 행복했어

도망친 사람, 남겨진 사랑

사랑해서 떠나는 거야, 사랑해서.

내가 슬퍼도, 널 보내야 하는 거야.
나보다 더 좋은 사람 만나라고,
나한텐 네가 너무 과분하니까.

더 좋은 사람이랑 사랑하라고.

우산 내릴 때 비 챙기기

비 올 땐 우산도 일부러 놓고 나갔어.
너와 같이 비 맞는 게 좋아서,
너와 같이 비를 맞고 싶어서
네가 비 맞는 걸 좋아했기에

덕분에 감기도 많이 걸려, 고생했었지

울상

강아지가 비를 맞고 울상을 짖고 있는데
어디서 많이 본 것 같은 거야
지금 생각났는데,

넌 속상한 일이 있으면
그 강아지 같이 울상을 짖고 있었어

고요한 이별의 밤

여름비 추적이는 고요한 밤,
나는 너에게 물었다

나를 떠나는 것이냐고
정말 영영 떠나 버리는 것이냐고

내리는 비를 뚫고 너는 말했다

너를 떠나는 것이라고
정말 영영 떠나 버리는 것이라고

내 순서
(미래형 → 현재형 → 과거형)

미래형: 진짜 사랑할게

현재형: 진짜 사랑해

과거형: 진짜 사랑했어

소년과 소녀의 짝사랑

우리는 이제,
서로를 짝사랑하는 소년, 소녀가 되어 버렸다.

왜곡된 기억이라 할지라도

왜곡된 기억 속
우린 사랑을 나눴습니다.

나의 오늘은

모든 걸 줄 것처럼 다가와
정말 모든 걸 주고 떠났다.

서로의 이별은

널 사랑하던 나도,
늘 사랑받던 너도
아름다운 이별이었길.

나를 밝혀주세요

어두운 밤을 밝혀주세요
나는 빛이 필요하지만,
이곳엔 빛이 없어요

어두운 방을 밝혀주세요
나는 빛이 필요하지만,
이곳엔 빛이 없어요

어두운 나를 밝혀주세요
나는 네가 필요하지만,
이곳엔 네가 없어요

나만 기억하고 기억할 기념일

불 꺼진 어두운 방 안에
케이크만 남겨두고 불을 지폈어요

발갛게 타오르는 불꽃을 바라보며,
우리의 기념일을 셌습니다.

나는 내 마음도 뜻대로 되지 않는다

뜻대로 되지 않는 게 사랑이고,
뜻대로 되지 않는 게 사람이다.

이별의 의미

흔들리는 두 눈동자는 준비를 암시했고,
부들 떠는 몸은 이별을 의미했다.

증오해도 될까

네가 싫어
죽도록 밉고 또 미워.

각각의 아름다움

반가운 이별
끔찍한 사랑

핑계는 아니고

가장 가까운 곳에서
네가 가장 빛나는 그 순간을 지켜보고 싶었어

근데 나와 같이 있으면
네가 자꾸 빛을 잃어 가서
어쩔 수 없었어
핑계가 아니고, 진심이야

새하얀 겨울

한 계절에 갇혀 살고 있다.

이곳의 계절은,
늘 새하얀 겨울이다.

겁쟁이 아이

잊혀지는 걸 두려워하는 겁쟁이는
아직도 숨어있어요

이러다 영원히 숨어 지내는 건 아니지
마을 사람들이 대신 신세 한탄을 했죠
그러다 한 소녀가 말했어요

"그 아이는 겁쟁이가 아니에요
그 아이는 잊혀지는 걸 두려워하는 거뿐이에요"
그리고 소녀는 숨어있던 겁쟁이에게 다가갔습니다

"마을 사람들은 널 잊지 않았어
만약 잊는 다해도 내가 잊지 않을게.
나와 함께 가자"

그날 겁쟁이는 처음으로 내밀어 온 손을 잡았어요
그리고 지금의 겁쟁이에서 벗어난 소년이 말했어요

"처음으로 다가온 손길이어서,
너무 따스했어요
안 잡을 수가 없었거든요
그래도 후회는 안 해요

덕분에 겁쟁이가 아닌 소년이 되는 법을 배웠으니까요"

어두운 밤

밝은 해가 저무니,
기나긴 밤이 찾아왔다.

고래의 눈물

고래의 슬픔 젖은
눈물

정말 감동적인 러브 스토리

가 될 수 없었다.

To. 어쩌면 나보다 더 힘들어하고 있을 너에게

그럴 수 있어
우리 다시 시작하자
이번엔 좀 더 천천히 가는 거야.

연꽃에서 예쁘게

저 떠다니는 연꽃들 사이,
네가 수면 위로 올라온다

넌 죽은 걸까?
아님 영원히 이곳에 머물겠다는 걸까
그래 그렇게 예쁘게 가자
그게 너와 잘 어울린다

7장

늘 혼자 같고 외로워하는 나에게

별아, 힘들고도 힘든 나의 별아

늘 내 곁에서 빛나던 별이 있었다
그 별은 밝은 미소를 가졌고,
항상 긍정적인 마인드를 가졌다

그래서 눈이 갔다
그래서 좋아했다

하지만 그런 별이 한없이 아파하고 아파한다
무엇이 널 그리 슬프게 하는지
무엇이 널 그리 힘들게 하는지

위로가 되어주고 싶지만
내가 해주는 건 그저 반복된 말뿐이었다

너의 잘 못이 아니라는 말
그 말뿐이었다

별이 빛을 잃을까 봐
별이 더는 내 곁이 아닌
높고 외로운 하늘의 별이 될까 봐

두렵고도 두려워도
내가 해줄 수 있는 말은 그저
"너의 잘 못이 아니야"

나의 우울에게

천하의 몹쓸 내가
우울을 사랑해 버렸다

울며, 날이 맑아

웃으며 되돌아가는 길

때론 약하게

강하게 살래요
지금 보다 더
보다 더
강하게 살래요

근데 난 강해지지 못해요
그저 강한 척 흉내만 내요
겉으로 욕도 하고
겉으로 화도 내요

강하게 살아가라는 세상에게
분노하며,
그에 저항하지 못하는 내게
원망하며,

진짜 나를 숨기고 또 감춰요

꼭 인생을

강하게만 살아야 할까요?
때론 약하게 살 순 없는 건가요?

청춘

나는
남은 나의 청춘을 위해
무엇을 해줄 수 있는가

재난인가 멸망인가

하늘에 소라 껍데기가 떠다니고,
땅엔 작은 별들이 박혀 있다

이게 무슨 일인가
재난인가?
멸망인가?

무슨 일인지 모르겠지만,
예쁘다

이게 재난이든 멸망이든
여기 머물고 싶다

울고 싶을 땐 울자

꼭 잘해야만 울 수 있는 건 아니다

청춘 병

청춘 병에 걸려버렸다
너무 지독해서 나으려면
오래 걸리려나 보다

행복한 게 맞나

내가 과연,
정말 행복한 게 맞을까?

밤

나는 고요한 밤이 좋아
적적한 밤도 좋고,

적막함이 흐르는 밤도 좋아
밤은 나에게 말을 걸지 않거든

그래서 난 밤이 좋아

힘들어

괜찮다고 하면
진짜 괜찮은 줄 알아
사실은 안 괜찮은데

죽도록 힘든데
왜 그걸 몰라

사랑받는 공주님

늘 사랑받던 공주님을 동경했습니다
노력하지 않아도, 사랑을 받을 수 있는
그런 공주님이 부러웠습니다.

괜찮아

너의 아픔도,
너의 슬픔도
내가 다 떠안고 갈게

술래잡기

난간 위에서 하는
술래잡기.

행복

행복은 작은 상자에 들어가
스스로 자물쇠를 걸어 잠그곤,
아무나 자신을 찾아 주기를 바란다.

수많은 사람들은 자물쇠를 풀려 했지만,
그 누구도 풀 수 없었고

작은 상자에 갇힌 행복을 꺼낼 수 없었다.

그렇게 행복은
점차 썩어 더러운 하루살이 몇 마리를
몸에 붙인 체
문드러져 버리는 날을 기대한다.

To. 매일과 내일은 포기하지 않고
살고 있는 나의 나에게

잘했어
너무 잘했어

보잘것없는

잡초가 되어도 괜찮다.
그저 행복하게 자란다면
그걸로 됐다.

울어도 괜찮아

울지 말라고 달래는 사람보다,
울어도 괜찮다고 다독이는 사람이 더 좋다.

Q. 안녕?
요즘 어떻게 지내?

A. "_____"

혼자

차 소리보단 새소리가 더 크게 들리는 곳,
그곳에서 하루를 묵고
그곳에 나의 꿈을 묻어요.

불공평

나의 불운이
너의 행운이 되어간다.

그대 청춘이라는 시간

차가운 나뭇잎 한둘 떨어진다
저 나뭇잎에 기대어 하루를
그렇다면, 나
이생의 청춘 이곳에 묻어두고 갈 테니

그대여, 그대도
이 나뭇잎에 기대어
길고 먼 이생을, 그 긴 생 속의 짧은 청춘을
이곳에 묻어두고 가리다

작

가

의

말

작가의 말

모든 것이 쉽게 잊혀지는 지금,
우린 무엇을 기억해야 할까
우린 어디까지 기억할 수 있을까

처음 느끼는 풋풋한 사랑이란 감정일까
푸른 하늘 아래 같이 있는 친구일까
늘 혼자 같고 외로운 나만의 감정일까

아직은 몰라도
어느 순간은 이 모든 것을
잊지 않고 기억하게 될 것이다

지금의 청춘을
지금의 성장을